자라나는 우리들의
가치 덕목 이야기

2024학년도 진원초등학교 6학년 1반 학생들의
가치 덕목에 대한 생각 모음집

진원 책방

들어가는말

안녕하세요. 진원초등학교 교사 김정호입니다. 올 한해 학생들과 '나도 작가' 프로젝트를 진행하고 있습니다.

6학년 1반 학생들의 가치 덕목에 대한 다양한 생각을 에듀테크(캔바, 뤼튼, 프로크리에이트등)의 도움을 받아 적어 보았습니다. 미래의 작가가 될 학생들의 다양한 생각들을 재미있게 읽어 주세요. 여러분들도 내가 마음에 드는 가치, 덕목을 정해 열심히 실천해 보면 좋겠습니다.

자라나는 우리들의 가치 덕목 이야기
발행: 2024.07.10
저자: 박민정 외 17명
엮은이: 교사 김정호
엮은곳: 진원초등학교(진원책방)
주소: 전라남도 장성군 진남1로 199
전화: 061-392-5101

목차

나너 우리가 행복한 진원초등학교
6학년 1반 학생들의 가치 덕목에 대한 생각 모음집

I. 나

2. 너

3. 우리

그림 : 박민정

긍정

있는 그대로 인정하고
받아들이거나 사물의 밝은
측면을 보려는 태도

긍정파워
(창작 이야기)

이라현

오늘도 나는 고개를 숙인채 집에 왔다.

"다녀왔습니다."

"어 왔니?"

역시 나를 제일 먼저 반겨 주는 것은 우리 엄마다.

그 뒤로는 우리 집 강아지 뭉치, 내 침대, 책상, 문제집, 숙제등 매일 똑같은 일상이다. 지겨운 일상이지만 좋은 소식도 있다. 그것은 외국 현장에 있던 아빠가 내일 모레 토요일날 오신다는 것이다.

그러자 문득 과거의 기억이 떠올랐다. 2년 전에 있었던 일이다. 아빠가 오시기 하루 전 학교에서 시험을 봤다. 항상 우리반 선생님은 예고 없이 시험을 보셨다. 준비가 되어있지 않은 나는 그럴때마다 20점에 가까운 점수를 받았다. 그걸 본 엄마는 화를 내셨고 우리 선생님은 숙제와 손들기 같은 벌을 주셨다. 슬프고 도망치고 싶은 마음 뿐이었다.

하지만 그날 아빠가 나에게 정 그렇게 선생님이 시험 내주시는 날을 모르겠으면 긍정적으로 생각하라 했다.

나는 그걸 기억하며 시험을 봤다. 다행이도 많은 문제가 답이 기억나며 공식이 생각났다 그리고 높은 점수를 받았다. 이런 점수를 받아보니 기분이 너무 좋아 엄마에게 자랑하고 있었다 그때 현관문 소리가 들렸다 아빠였다. 난 말로표현할수 없을 정도로 기뻤다.

나는 아빠에게 지금까지 있었던 일을 전부 말했다. 나는 긍정이 마음에 달린걸 알았고 이걸 긍정파워! 라 부르기로 했다.

긍정, 삶의 희망이 되다
(에세이)

김신우

나는 어렸을 때 친구들과 사이좋게 지냈다. 그런데 요즘은 아니다. 자주 싸우고 또 친해지려고 하면 싸우고...나는 이런 쳇 바퀴 같은 친구 관계에서 벗어나고 싶었다. 그래서 친구들과 친해지는 것을 포기하고 쉬는 시간에 친구들과 노는 것 대신 혼자 글을 쓰고 글은 쓴 것 중에서 영작을 할 수 있다 싶은 것들은 영작도 하며 혼자 할 수 있는 것을 하며 시간을 보냈다.

그렇게 지냈더니 여름방학,나는 방학식 후 집으로 오는 길에
'내가 학교를 다니는 이유가 무엇일까?'
라는 궁금점이 생겼다.지금까지 나는 그런 생각을 해본 적이 한번도 없었다. 왜냐하면 지금까지는 친구들과 그렇게 멀어져 본 적이 없었기 때문이다. 나는 전에 선생님께서 하셨던 말을 기억해 내려고 안간힘을 썼다.
'맞아! 선생님께서 학교는 인성과 사회생활을 배우기 위해 다닌다고 하셨지! 그런데 내가 이렇게 친구들과 멀어지면 학교를 다닐 이유가 없어지는 게 아닌가?'
나는 그 생각을 하게 된 뒤로 깊은 고민에 빠졌다.
'이렇게 친구 관계가 멀어지더라도 조용히 지내는 게 맞나? 아니면 친구들과 자주 싸우긴 해도 친해지려고 노력하는 게 맞나? 하...잘 모르겠다'

3

나는 이 고민을 하는 동안 시간이 빠르게 지나고 있다는 걸 느끼지 못했다. 벌써 여름방학이 끝나가는 것이다! 나는 여름방학 마지막 날 밤, 자기 위해 누운 뒤 이렇게 다짐했다.

'아무리 생각해도 다시 친구들과 친해져 봐야겠어! 물론 처음부터 막 친해지는 건 안되겠지, 하지만 나는 인사부터 시작해서 다시 친해지며 남은 학교생활을 즐겁게 보내 볼 거야!'

다짐을 끝낸 뒤 나는 학교에서 친구들과 함께 노는 꿈을 꾸게 되었다. 나는 개학식 후 친구들에게 말을 걸었다. 그랬더니 친구들이 의외로 나를 반겨주는 것이었다! 나는 남은 학교생활을 재밌고 보람차게 지냈다. 나는 비로소 긍정의 힘을 느끼게 되었다.

'와~ 긍정의 힘은 대단하구나!'

긍정적인 생각
(경험)

전세연

날씨가 무더운 어느날 이였다. 동생이 수학 문제를 도와주라며 나에게 손
짓을 했다. 나는 그대로 동생 방에 갔다. 그런데 동생은 내가 들어오자마
자 핸드폰을 뒤집었다.

나는 동생에게 핸드폰으로 무엇을 했냐고 물어봤다. 동생은 당당하게 틱
톡을 봤다고 말했다. 나는 노력도 해보지 않고 나에게 왔다는게 짜증났다.
그래도 참고 수학문제에 대해 설명해 주었다. 그런데 동생은 나에게 다 모
르겠다고 성질을 부렸다. 나는 동생이 도움을 받는 입장인데 성질내는 태
도에 화가 나서 알아서 풀라고 말하고 나가버렸다.

몇 분 지나지 않아 동생이 잔뜩 화가 난채로 나를 찾아왔다. 동생이 모
르겠다고 행패를 부리니 나는 동생에게 책을 가지고 오라 했다. 동생은
쿵쿵 거리며 계단을 내려갔다. 또 얼마지나지 않아 쿵쿵거리며 올라왔
다. 그리고 하는말이
"언니 왜 안와?"

나는 분명히 동생에게 책을가지고 오라했는데 나보고 내려오라니. 너무
짜증이 났다. 나는 다시 한번 책 가지고 오라고 말해주었다. 동생은 책을
가지고 올라오자마자 책을 던지고 자신은 침대에 앉아 핸드폰을 보았다.
끝까지 뻔뻔했다.

나는 앉으라 했다. 동생은 또다시 투덜거렸다.

'상식적으로 책상에서 해야 하는거 아니야?'

나는 책상을 치워주며 앉으라했다.

동생은 의자를 앉으면서도 요란했다. 물건이 떨어지고, 의자가 넘어지는 등.. 동생은 한숨을 쉬며 정리했다. 나는 아직도 짜증내는 동생이 꼴도 보기 싫었지만 참았다. 나는 화를 누르며 동생에게 수학을 설명해 주었다. 나는 계속 짜증내면 도와주지 않을거라 했다. 동생은 연필을 던지며 인상을 찌푸리고 있었다. 나는 너무 짜증이나 그냥 별표치고 내려가라고 말했다. 그러자 동생이

"그럼 언니한태 도와주라한 이유가 없잖아."

라고 말했다. 나는 분명히 동생에 수학 선생님이 아니다. 돈을 받는 것도 무슨 대가도 없었다. 그냥 내가 도와준다는 배려인데 저런 행동은 더 이상 참을 수 없었다.

나는 어머니께 전화를 걸었다. 어머니께선 나와 동생을 꾸짖으셨다. 동생은 울면서 작게 말했다.

"미안해"

그리고는 돌아갔다. 나도 엄마께 늦게 자서 죄송하다 답했다. 그런대 침대에 눕자마자 엄마께서 들어오셨다. 엄마께서는 많이 힘들어 보이셨다. 내가 조금 더 긍정적이게 동생을 받아들였다면 어머니께서 편히 쉬시고 동생도 혼나지 않고 평화롭게 일이 끝나지 않았을까?

근면

게으름을 피우지 않고
부지런히 일하며 힘쓰는 것

근면은 성공의 길
(창작이야기)

성장익

1년전 내가 살이 많이 쪘을때 살을 빼겠다고
다짐했다. 하지만 번번이 실패하여 더 찌고 있었다. 근데 엄마가
종이 한 장을 주며 말씀하셨다.

"이걸 한번 실천해보렴 꾸준히 실천하면 살이 빠질거야 대신 자
기의 할일은 꼭 해야돼. 매일매일 실천하면 뭐든지 할 수 있어."

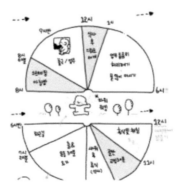

나는 속는 셈 치고 받았다. 들어보니 여러 사람이 실천하고 다이어트에 성공했다고 한다. 하지만 나에게는 너무 어려웠다.

'어떻게 사람이 2끼만 먹어 하루에 5끼는 먹어야 하는건 아닌가?'

그래도 살을 뺄 수 있으면 뭐든지 하겠다는 마음으로 실천했다. 처음에는 2끼만 먹어서 힘들고 운동까지 해서 무척 힘들었다. 특히 아령이 지옥이였다. 그러나 자신의 일을 해야한다는 마음으로 계속 했다. 처음 3일차에서 4일차는 힘들었지만 꾸준히 실천하다보니 다음부터는 일상이 되었다.

한달이 지나고 나니 58kg에서 45kg으로 줄었다. 계획표대로 꾸준히 실천하니 살이 빠졌다. 엄마는 그럴줄 알았다면서 잘했다고 칭찬했다. 나는 규칙적으로 열심히 한다면 못 하는 일이 없다는 것을 깨달았다. 앞으로도 목표를 정하고 규칙적인 생활을 통해 하나씩 성취해야 겠다는 마음을 다졌다.

열심히 무언가를 하는 것

(에세이)

박종서

나는 최근에 유튜브에서 이런 콘텐츠를 봤다. 바로 스토리님의 콘텐츠이다. 자신의 근면을 테스트하기 위해, 이 콘텐츠를 기획했는데. 바로 매일 영상 제목과 썸네일(마중그림)을 그날의 날짜로 바꾸어 자신의 근면을 테스트하는 것이다. 이 콘텐츠는 지금 (24.5.16)까지도 이어지고 있다.

근면은 나는 마음을 크게 먹지 않아도 가능한 것이다. 이는 내가 겪은 다양한 경험으로 알 수 있다. 차가운 물로 머리를 감으면 머릿결이 좋아진다길래 오늘도 이렇게 머리를 감았고, 아빠가 독후감을 쓰면 용돈을 주신다길래 꾸준히 글을 썼던 거 같다. 근면은 일상에서 많이 있는 것이다.

근면은 우리의 성공에도 필요하다. 철학자 쇼펜하우어, 빌게이츠 등 다양한 사람이 근면은 성공의 지름길이라고 말하고 있다. 근면은 우리의 성공에 꼭 필요한 것이다.

근면은 계속 노력해야 한다. 사소한 일이더라도, 엄청난 일이라도 꾸준히 노력을 해야 하는 것이다. 그 행동을 한 번만 하는 것은 근면이 아니라는 것을 명심해야겠다.

스토리의 콘텐츠

정직

다른 사람이 하고자 하는
이야기를 온전한 마음으로
정성껏 듣는 것

정직
(에세이)

임채우리

정직은 내가 가장 잘 실천할 수 있는 덕목이다. 그렇다고 정직하지 않은 적이 없지는 않다.

나는 내가 숨기고 싶은게 있을 때 정직하지 못한다. 내가 '이게 들통나면 어쩌지..?' 하는 마음에서 그런 정직하지 못한 행동과 말이 나온 것 같다.

또 내가 정직하지 못하는 때가 있으면 정직한 때도 있다. 나는 누가 물어볼 때 정직해 진다. 누가 어떤 것에 대해 묻기만 하면 정직하게 대답한다.

나는 원래 정직하지 못했던 때를 정직해지는 때로 바꾸기 위해 최선을 다해 노력할 것이다.

용기

마땅히 해야 하거나 하고 싶은
일이 있을 때 그것을 과감하게
실행에 옮기는 굳센 기운

채리의 무인도 생존기
(창작이야기)

임채우리

나는 초등학고 졸업을 하고 사랑하는 나의 친구와 함께 졸업 기념으로 하와이로 여행 가려고 인천공항으로 갔다. 설레이는 마음으로 하와이행 비행기에 몸을 실었다. 하지만 출발한 지 얼마 되지 않아, 예상치 못한 일이 발생했다. 이륙 후 1시간 정도 되었을 때 갑자기 비행기가 기류에 휩쓸려 흔들리기 시작했다. 이후 비행기는 바다를 향해 곤두박질 쳤다. 나는 안전 체험학습에서 배운대로 구명보트를 통해 비행기에서 탈출하여 목숨을 건졌지만, 눈을 떴을 때 주위에는 아무도 보이지 않았다. 나만 빼고 다 생존 하지 못한 모양이다. 낯선 무인도에서 혼자 남겨진 것이다. 앞으로가 걱정된다. 불안과 두려움이 밀려왔다.

앞으로 어떻게 해야할지 막막했지만 마음을 가다듬고 일단 섬부터 둘러보기로 했다. 그렇게 섬을 둘러보다 코코넛 열매를 발견 했다. 천천히 조심스럽게 나무를 타서 과일을 3개 땄다. 일단 과일을 1개만 먹었다. 앞으로를 위해서. 그리고 다시 섬을 헤맸다. 벌써 저녁이 되었다. 나는 해변에 돌로 'SOS' 를 적어 놓고 모래를 파서 그 안에 들어가 잠을 청했다. 막막하기만 했는데 첫째 날을 이렇게 보내고 과일도 찾다니 스스로에게 대견한 마음이 들었다. 처음의 두려움도 조금씩 사라지는 느낌이다.

다행이 밤 사이에 무슨일이 일어나지 않았다. 목이 말랐다. 바닷물을 먹어보았지만 너무 짰다. 그래서 어제 딴 코코넛 반개를 쪼개어 먹었다. 처음에는 너무 단단해서 안 쪼개질 것 같았는데 과학시간에 배운 지렛대의 원리를 이용하니 코코넛을 쪼갤 수 있었다. 하지만 이대로는 식량이 부족 할 것 같다.

다시 섬 안쪽으로 들어가 코코넛 나무를 찾았다. 열매를 4개 땄다. 이 정도면 충분할 듯 하다. 이번엔 섬 안쪽으로 더 깊이 들어가 밝은색의 꽃도 따서 돌로 만든 'SOS' 주위에 표시해 놓았다. 벌써 해가 진다. 수업시간에 배운 것이 이렇게 쓰일 줄은 몰랐다. 하지만 너무 피곤하다. 자야겠다.

하. 벌써 3번째 날인데 구조가 안된다. 이대로는 구조 되지 않을 것 같다. 그래도 절망을 하지는 않았다. 의외로 나는 이 무인도에 많이 적응했으니까. 물고기를 잡기 위한 방법을 고민하던중 그때, 저 멀리서 뱃소리가 들렸다. 나는 벌떡 자리를 박차고 일어나 도와 달라고 있는 힘껏 외쳤다. 드디어 구조가 되었다! 내 친구도 이 배에 타고 있었다. 내 이야기는 오늘 뉴스를 화려하게 장식했다.

이 경험을 통해 나는 어떤 상황에서도 포기하지 않는다면, 우리는 반드시 길을 찾을 수 있다는 것을 알게 되었다. 그리고 이야기를 책으로 써보기로 마음 먹었다. 나에게 좀 더 멋지고 새로운 인생이 펼쳐질 것 같은 기분이 들었다.

물
(나의 경험)

정연우

나는 예전의 물을 무서워 했다. 물은 우리에게 꼭 필요하지만 많으면 안된다. 나는 물 속에 빠지는 것을 두려워 했지만 지금은 아니다. 오히려 나는 그 점을 무서워 했지만 지금은 여름이 오기를 기다린다. 왜냐하면 나는 물이 좋기 때문이다. 이제부터 내가 물이 괜찮아진 이유를 이야기해보고자 한다.

나는 물을 매우 무서워 했기 때문에 물에 들어가 노는 것을 즐기지 못했다. 하지만 나는 얕은 물부터 아빠와 함께 시작 했다. 처음에는 잠수도 잘 하지 못했지만 용기를 내 물을 먹더라도 최대한 노력했다. 이렇게 노력하니 자연스럽게 물을 보면 무섭다고 생각했던 내가 아무렇지 않게 물속에서 놀고 있었다. 나는 그때부터 물에서 노는 재미를 느꼈다.

이 글을 쓰고 있는 순간에도 나는 날씨가 더워지니 물속에 들어가고 싶다. 나는 물 먹는 게 무섭지 않다. 나는 내 키보다 깊은 물이 무섭지 않다.아니, 오히려 너무 낮은 것 보단 나보다 높은 물이 더 좋다.

나는 용기를 내니 보지 못했던 걸 봤다. 나는 과거의 나에게 용기를 내라고 말 해주고 싶다.

자신감

게으름을 피우지 않고
부지런히 일하며 힘쓰는 것

자신감
(책을 읽고 난 뒤)

김예준

나는 최근 로빈슨크루소라는 책을 읽었다. 그냥 그런 책이었다. 느낌점은......크게 없었다. 책 제목과 같이 로빈슨크루소가 무인도에 갇혀 적응하다가 결국 탈출하는 이야기다. 나는 주인공을 보고 자신감이 넘쳐보인다고 생각했다.

나는 이 책을 읽고 난 뒤 내가 가장 자신 있어 하는걸 생각해 보았다. 내가 가장 자신있는건 운동이다. 운동중에가장 자신 있는건 축구이다.왜냐면 축구가 뭔가... 가장 쉽고 다루기 쉬운거 같기 때문이다.

그리고 가장 자신 없는건 발표이다. 왜냐면 발표를 할때면 이게 맞나...?
라는 생각이 자꾸 들기 때문이다.
그래서 일부러 피했는데 그럴 수록 더 자신이 없어졌다. 앞으로는 자신 있는 것은 더 열심히 하고 자신 없는것도 조금씩 노력해서 보고 싶은 생각이 들었다.

할수있다!

라현이의 무인도 생존기
(10일의 여정, 창작 이야기)

이라현

1~2일차

눈을 떠보니 나는 이상한 곳에 있었다. 기억을 떠올려 봐도 배를 탄 것 까지만 기억이 난다.

하지만 그 이후로 애를 써도 기억이 안 났다. 일단 생존 본능대로 근처에 뭐가 있는지 봤다. 다행이도 근처에 위험한 동물은 없었다. 밤이 오고 있어 간단한 보금자리를 만들었다. 아주 포근한 잠자리였다. 아무 생각이 안들 정도였다. 오늘은 푹 잘 수 있을 것 같다.

3~5일차

오늘은 식량과 SOS 신호를 만들 것이다. 일단 동물이 없어 고기는 포기 해야할 것 같고 그럼 남은 건 풀과 열매다 다행이도 근처에 야자나무가 있어 식량은 해결됐다. 그럼 이제 이 섬의 SOS 신호를 만들어야 되겠다. 일단 돌로 S.O.S 신호를 만들었다. 다시 달이 뜨고 있어 잠자리에 들었다. 별의별 생각이 들었다. 그중 제일 많이 든 생각은 '섬에서 탈출 못하면 어쩌지?' 금방 잠에 들어 여러가지 생각이 끊겼다.

15

6~10일차 (탈출)

일어나자마자 갈증이 생겼다. 물이 없어서 간단하게 나뭇가지와 큰 풀로 위에 겹쳐 이슬과 소금물에 있는 불순물을 제거하는 정수기 완성이다.

이제는 불을 지필 것이다. 1분, 2분 3분, 결국30분 정도 하니 불이 지펴졌다. 몇날 몇일 10일차가 시작되는 날에 헬기 소리가 들렸다. 곧장 그곳으로 달려가니 헬기가 나를 구했다. 이제 이 섬도 안녕 인가?나의 집이었던 이 섬을 발견하면

나에게 찾아와주면 좋겠다.

부탁이다..

호기심

좋아하는 것이나 모르는 것을
더 깊고 자세히
알고 싶어 하는 마음

궁금함을 모아둔 선물
(시)

김연서

나는 선물로 고양이를 받을까?
만약 받더라도 언니가 싫어하겠지?
털 알르레기가 있으니까
언니는 왜 털 알르레기가 있을까?
태어날 때부터 그래서겠지?
사람은 다 다르니까

학원은 왜 생겼을까?
학교도 있는데...
공부를 더 잘 배우라고 생겼겠지?

빠삐꼬 아이스크림은 언제 태어났을까?
나보다 훨씬 오래전에 태어났겠지

나의 궁금함을 모아 선물상자에 넣을수 있을까?
궁금함을 모아둔 선물을 민들레에게 줄수있을까?

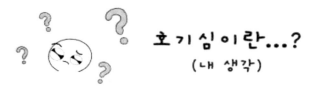

호기심이란...?
(내 생각)

임채우리

나에게 호기심이란? 예측 불가능이다.

왜냐면 항상 예측할 수 없는 질문들과 답이 나오기 때문이다. 물론 아주 가끔 예측한 답이 나올 때도 있지만 거의 예측 불가능이다.

나는 호기심이 많다. 내가 이 덕목을 고른 이유 중 하나 이기도 하다. 내가 호기심이 많아 친구들에게 질문을 한 적이 많다. 친구들은 내 질문을 지겨워하는 것 같았다. 하지만 나는 호기심이 많으면 좋은거라고 생각한다.

호기심이 많아 질문을 하면 새로운 지식을 습득할 수 있다. 그렇지만 호기심이 많아도 너무 많으면 독이 될 수 있다. 사자성어에 '과유불급' 이라는 말이 있다. 호기심도 마찬가지 이다. 이 세상엔 우리가 알려면 안되는 것이 알아야 하는 것 만큼 많다. 그래서 호기심이 너무 많으면 독이 될 수 있다. 난 호기심이 적당히 많아서 다행이다. 여러분도 적당히 호기심을 갖길 바란다.

나는 사소한 것에 호기심이 많다. 예를 들어 오늘 시간표가 무엇인지, 또는 오늘 저녁 메뉴가 뭔지 이런 일상생활에 관한 사소한 궁금증이 많다. 그 중에서도 특히 식사 메뉴에 대해 자주 궁금해 한다. 여러분은 어떤 것에 호기심을 가지고 있나요?

뽀글이의 무인도 생존기

양지후

'드디어 오레 친구들과 함께 해외여행을 간다!!
바로 하와이! 훌라훌라~' '(이틀 후) 드디어 친구들과 만나 비행기에
탔다. 친구들이 기대된다며 조심히 좋을쳤다 '너무 기대된다! 기다려 하
와이 내가 갈게!!'

'근데 좀 졸리네...' (뽀글이가 잠에 들었다.)
(1시간 후) 그때 갑자기 비행기가 흔들리기 시작했다. 기장님의 안내방
송이 들렸다." 여러분 기상악화로 인해 비행기가 흔들리고 있습니다. 다
들....." 찌직찌지직 안내방송이 멈추더니 비행기가 추락하기 시작했다.
그때 승무원이 말했다. "다들 안전벨트를! 꺄아악!!"
승무원이 말할때 갑자기 비행기가 빠르게 추락했다..

눈을 떠보니 어딘지 모르겠는 해변가에 누워있고
비행기는 옆에서 불타고 있었다. 난 무서워서 그 자리에서 벌떡 일어나
도망쳤다.' 내가 괜히 혼자 도망쳤나? 아냐 나도 위험했어. 잘한 선택이
야.'
꼬르르륵 배에서 소리가 들려왔다." 아~배고파 어떡하지....."
그때 야자수 나무가 보였다. '옆에 있던 나뭇가지로
나무를 쳐서 열매를 떨어트려 먹으면! 음~ 맛있지 않아.. 근데 오늘은
먹을게 없으니......'
"그럼 일단 생존자를 찾아야지"
그렇게 뽀글이는 생존자를 찾으러 떠났다.

(몇시간 후) "아!!!!! 힘들어 오늘은 그만 찾을까? 아냐! 열심히 찾아야지 화이팅!"

(몇분 후) '억!! 텐트다! 이상한 사람일까? 밖에서 기다릴까? 아니야 가서 살려달라고 하자!'

"살려주세요!!!!!!! 살려주세요!!!!!!"

텐트 문을 열고 한 아저씨가 나오셨다

"제발 아저씨 살려주세요ㅠㅠ 여기서 나가는 방법을 알려주세요" "싫어" 아저씨가 말을하고 그냥 들어갔다.

뽀들이는 아저씨를 다시 불러 이렇게 말했다.

"아저씨 차가 놀라면?" 바로 아재개그ㄷㄷ

"뭔데?" "바로 카놀라유!" 악ㅋㅋㅋㅋ "

아저씨가 엄청 크게 웃었다. 왜냐하면 아저씨는 아재개그 정말 좋아하기 때문이였다.

"오!아재개그를 하다니 너에게 탈출방법을 알려줄게"

그렇게 뽀들이는 아저씨에게 탈출방법을 얻어내고 탈출했다.

(그렇게 몇년 후)뽀들 "후헤유 아저씨ㅠ 아저씨 만큼 나랑 잘맞는 사람은 없는데.. 아..아저씨~!"

"그렇게 뽀들이는 몇년이 지나도 아저씨를 그리워 하고 있어요 아저씨 빨리 도시로!! " "제가 누구냐고요? 뽀들이 친구에요 그럼 안녕~"

20

우리들의 호기심
('시' 버전)

이라현
(뤼튼과 함께)

호기심의 빛, 우리를 이끄면서

세상을 배우고, 미지를 탐험해

별이 왜 빛나는지 알아? 꿈을 키우며

작은 질문에서 커다란 답을 찾아네

용기를 주고, 새로운 길을 열며

매일 새로운 발견으로 우리를 도와주고

호기심이 우리의 아름다운 세상을 만들어낸다.

작은 호기심이 큰 세계를 펼친다.

노 력

사람이 어떤 목적을 이루기
위하여 몸과 마음을 다하여
애를 쓰는 것

시작과 도전
(시)

김연서

너와 손을 잡고 나와 함께 걸으며
아름다운 도전을 함께하는
우리는 친구예요

마음 함께모여 반짝이던 우리들의 눈
함께 꽃을 피우고 배우던
우리는 친구예요

너와 내가 꿈을 말했지!
기다려
도전이야
시작이야
노력해봐
우리는 무엇이든 할수있어!

22

노력하면 좋은 점

위채은

여러분은 평소에 노력을 하시나요? 저는 노력을 하지는 않지만 앞으로는 해야 해야 할 것 같습니다. 노력을 하지 않으면 이 세상 모든 사람이 모든 것을 포기하는 우울한 세상이 될 수도 있습니다. 그러니 우리 모두 노력을 해야 합니다.

그럼 이제부터 노력의 장점을 알려 드리겠습니다. 제 주변 사람을 보면 노력하는 사람이 시험 성적이 더 좋습니다. 그리고 저도 못하는 것을 잘 하려고 노력한 때가 있었는데 그 때 문제가 빨리 풀렸습니다. 그러니까 마음 먹고 노력한다면 많은 것을 잘하게 됩니다.

이런 장점을 가진 노력을 한다면 당신이 더 좋은 삶을 살 수 있을 것 입니다. 저는 수학과 사회 과목을 싫어합니다. 이유는 재미 없고 외울게 많아서 입니다. 처음에는 포기할까 생각도 했지만 마음을 고쳐 먹었습니다. 수학은 꾸준히 조금씩 시간과 진도를 정해서 공부하고 사회는 재미있는 이야기(꼬꼬무 같은 프로그램)와 함께 공부해볼 계획입니다. 일단 사회 보다는 수학에 집중해 볼 생각입니다.

여러분은 어떤 노력을 해보실 건가요? 노력을 하면 전과는 다른 새로운 나를 만날 수 있고 성취감을 얻어 새로운 삶이 열릴 것입니다.

23

끈기

쉽게 포기하거나
단념하지 않고 시간과 노력이
얼마가 걸리든 꾸준히 나아가는
자세

너는, 드림이
(시)

김연서

앞이 보이지 않지만
고개를 바짝 들어
느릿느릿 향하는
너의 길을 따라갈게!

호흡 가다듬고 휴~우
쿵쿵 숨을쉬고 휘~어
누구하고 노나?
누구하고 웃나?

앞이 넓게 느껴져서
눈을 크게 뜨고
앙기작 앙기작 향하는
너의 꿈을 따라갈게!

너는 나의 당팽이
너는 꿈을 찾는 드림이
너는 빠른 달팽이
너는 끝까지 갈수 있어
너는 나의 드림이

느릿한 나의 드림이

티티의 꿈 여정
(창작이야기)

김성은

아주 옛날, 먼 옛날에 꿈을 이루고 싶은 공룡이 살고 있었어요. 그 공룡이의 이름은 티티예요. 티티가 이루고 싶어하는 꿈은 바로 자신의 작품을 만들어 동물들에게 존경하는 사람 또는 인정 받는 게 꿈이었어요 하지만 먹이사슬 최강자인 공룡, 티티를 보는 눈빛은 두려움 그 뿐밖에 없었죠 다른 공룡들은 이렇게 말했어요.

"아무리 좋아하고 하고 싶어도 못하는건 못하는 거야 어쩔 수 없어 포기해 대신 다른 길을 찾아보자"라며 포기하라고 말했죠 사실 티티는 열정만 앞서나갈 뿐 계획이란 하나도 없었죠 티티는 그제서야 구체적인 계획 짜고 실행하기 시작했어요 그리고 스스로 자신감을 가지며 난 할 수 있을거야 힘내자라고 열심히 노력했죠. 티티는 일단 두 가지의 목표를 정했어요.

첫번째는 적어도 일주일에 3개의 작품을 그리는 것, 두번째는 1년 뒤엔 그동안 그린 작품들로 전시회를 여는 걸 목표로 했죠 가족들은 티티가 절대 성공할리 없다고 생각했어요 어쩌면 그게 당연한 반응이겠죠. 하지만 계속 끈기 있게 노력하며 자기도 할 수 있다는 걸 증명 하기 위해 남들보다 2배,3배 더 노력했죠.

1년 뒤..가족들은 결국 티티를 인정했어요. 그동안 그린 그림들로 멋진 전시회를 열었거든요. 티티를 두려움의 눈으로 보던 동물들은 깜짝 놀랐어요. 그리고 티티는 이후에도 계속 작품활동을 해 나갔답니다.

경청

다른 사람이 하고자 하는
이야기를 온전한 마음으로
정성껏 듣는 것

경청하는 것
(나의 경험)

장하윤

나는 매일매일 영어 학원을 다닌다. 학원 선생님은 친절하게 모르는 대답을 해주신다. 4~6학년까지 2년 동안 다니면서 실력이 많이 늘었다. 학원에서는 선생님에 말씀을 잘 듣고 잘 이해하고 표현 하려고 노력했더니 영어 실력이 많이 늘었다.

그런데 학교에서는 경청을 잘 못하는 것 같다. 왜냐하면 주변 환경 때문에 나는 경청을 잘 못하는 것 같다. 경청을 잘하라면 주변에 신경을 쓰지 말고 선생님에 말씀을 더 기울이고 집중하고 집중하면서 경청해야 했다고 생각했다.

진정한 이해의 열쇠, 경청의 힘
(경험)

성장익

 재작년 4학년때 어떤 친구가 전학을 왔습니다. 선생님은 새로 전학을 온 친구에게 잘 대해주고 학교에 대해 알려주라 했습니다. 전학생은 자기소개를 하고 자리에 갔습니다

 나는 전학생에게 말을 걸었습니다 학교에 대해 말을 걸기도 하고 학교가 어떠냐고 말을 걸기도 했습니다. 친구는 처음에는 아무 말을 안 했지만 친구가 점점 내 말을 들어주고 말해줬습니다. 그리고 딱지놀이, 술래잡기등 많은 놀이를 같이했습니다.

아침내 점점 친구가 되어 갔습니다. 결국 그 둘은 완전한 친구가 되었습니다.
"이렇게 사이좋게 지내는 방법은 상대방의 말에 경청을 해 주는 것 입니다."
그러므로 경청은 친구를 사귀는 법중 하나라고 생각합니다

세상에서 가장강한 힘 -경청

27

배려

다른 사람의 마음 상태나
처해있는 상황을 헤아려서
불편하지 않도록 행동하는 것

배려에 대한 반성
(에세이)

박종서

배려는 다른사람의 마음과 처지를 이해하는 것이 배려이다. 배려는 우리의 필요한 미덕이고, 나한테도 필요한 미덕이다.

나는 배려를 해본적은 많지 않지만, 받은 적은 많은거 같다. 예를 들어, 학생이라고 택시 기사님이 천원을 깎아 주셨고, 안전지킴이 선생님은 내가 배고픈 걸 아셨는지 가져오신 고구마를 나한테 양보해 주었다. 그러나 내가 배려 했던 것은 별로 없는거 같다.
어떻게 보면 나는 배려는 나는 배려를 어렵고 대단 한거라 생각한다.

남을 위해 나의 것을 희생하는 것을 아주 나는 어렵게 생각 했다. 그러나, 나는 이 글을 쓰면서 생각해보니 배려는 마냥 손해가 아니다. 결국에는 내가 배려를 하면 다른 사람도 배려를 하고, 점점 그게 모여 우리 사회가 따뜻해 지는 것이다. 그러니 나는 배려를 하려고 노력하는 것이다.

공감

다른 사람들이 생각하고,
말하고 느끼는 것과 같은 입장
이 되어 그것을 받아들이는 일

친구들을 이해하는 열쇠 : 공감

(에세이)

김신우

나는 종종 혼자 있는 시간이 많다. 나랑 가끔씩 노는 친구들을 보면 놀 친구들이 없어서 나랑 노는 것 같다. 친구들이 웃고 떠들며 함께 어울리는 모습을 볼 때면, 나도 그 속에 끼고 싶다는 생각이 든다. 하지만 어떻게 다가가야 할지, 또 어떻게 친구들의 마음을 이해할 수 있을지 막막하기만 하다. 이럴 때 필요한 것이 바로 '공감'이라는 것을 알게 되었다.

공감은 단순히 상대방의 말을 듣는 것이 아니라, 그들의 감정을 함께 느끼고 이해하는 것이다. 친구들이 무슨 이야기를 하고 어떤 감정을 느끼는지에 관심을 가지고, 그들의 입장에서 생각해 보는 것이 중요하다. 처음에는 어색할 수 있지만, 조금씩 그들의 이야기에 귀 기울이고 반응하다 보면 자연스럽게 대화가 이어지고, 마음의 문이 열리게 된다고 한다.

29

'내가 공감을 하려고 노력하면 언젠가 나도 친구가
생기지 않을까??'

공감을 통해 친구들을 이해하게 되면, 나도 그들에게 더 다가갈 수 있게 될 것이
다. 친구들이 기뻐할 때 함께 웃고, 슬퍼할 때 함께 위로해 줄 수 있다면, 그들은
나를 더 신뢰하고 소중하게 여길 것이다. 공감은 친구들과의 관계를 더욱 깊고 진
실되게 만들어주는 열쇠다. 나는 오늘도 이 열쇠를 사용해 친구들과의 거리를 좁히
고, 진정한 우정을 쌓아가고자 한다.

약속

다른 사람과 앞으로의 일을
어떻게 할 것인지
미리 정하여 두는 것

약속의 첫 걸음
(내 경험)

정은지

제 사촌 동생은 약속을 지키는 걸 잘 못해요.
예를 들자면..1시에 논다고 해 놓고 게임하다 늦었다면서 2시에 같이 논
다거나..동생이 놀다가 학교에 늦어 버린 일도 많아요. 그런 제 사촌 동
생이 친구들과 안 어울릴까 걱정도 되요. 저는 동생의 버릇을 고쳐주고
싶어서 고민을 많이 해보고 있었어요.

그렇게 많이 고민해보고 여러 가지 방법을 실행해 보았지만 말썽꾸러기
동생에겐 통하지 않았어요. 제일 좋다고도 생각한 거울 치료 방법도 해봤
지만 소용 없었어요.

저는 이번에 진짜 똑바로 고쳐주고 싶어서 또 고민하고 고민했어요. 그
리고 좋은 방법이 떠올랐어요. 약속을 지킬때마다 간식을 주기로요!
그 방법은 간식을 좋아하는 사촌 동생에게 적합했어요. 사촌 동생은 약
속을 지킬때마다 기분이 좋아 보였어요. 아마 간식 때문이었겠죠? 이렇
게 차곡차곡 쌓아가니까 사촌 동생도 이제 더 이상 약속을 어기지 않았
어요.

그리고 엄마도 제가 버릇을 고쳤다는걸 아시고 저를 칭찬해 주셨어요. 칭찬을 받으니 뿌듯했고 기분이 좋았어요. 앞으로도 제 주변 친구들의 안 좋은 버릇을 고쳐주고 더 나은 학교 생활을 지내게 해주고 싶어요. 사촌동생이 버릇을 고친게 천만다행이네요ㅎㅎ

이게 바로 약속의 첫 걸음 아닐까요?

약속을 지키면 간식을 주니 기분이 좋아 히히

약 속 의 첫 걸 음

약속을 지키지 않았을때 다른사람에게 미치는 영향
(창작이야기)

장하윤&뤼튼

나는 오늘 나의 친구들과 함께 놀러 가기로 했다.

나는 빨리 준비를 하고 약속 장소로 가면서 친구에게 전화를 걸었다

"너희들은 어디니?"

약이는 약속 장소에 왔다고 말했고 속이는 전화를 받지 않았다.

나는 속이가 전화를 받지 않아서 계속 전화를 걸었다. 전화를 걸면서 약속 장소로 갔다

(15분 뒤)

나는 저기 멀리서 약이가 보여서 달려갔다.

그런데 속이는 안보였다. 나는 속이에게 전화를 했다. (1시간 뒤)

속이에게 갑자기 전화가 왔다. 애들아 나 오늘 못 갈 것 같아. 나는 전화로 속이에게 따졌다.

"너는 왜 우리를 1시간 동안 기다리게 하고, 왜 안 오는 거니!."

속이는 전화를 끊어버렸다.

"약이야 속이 정말 어이없다.."

"내말이!! 속이 그렇게 안 봤는데 정말 실망이야!"

나는 어쩔 수 없이 약이랑만 놀았다. 실컷 놀고 나서 나는 한번 더 속이에게 전화를 걸어봤다.

"속이야 너 왜 말도 없이 내 전화를 끊어 버리는

거야? 너 정말 실망이야!!"

나는 속이에게 말을 했다.

그 때 나는 예상치도 못한 속이의 말을 듣고 놀랐다.

속이가 한 말은..

"하...야 너희들 나 빼고 엄청 신나게 논거 sns에 올려놓고 뭐? 어이가 없네...약속 깨는 건 내 마음이야!!!!!"

나는 그 말을 듣고 정말 충격을 먹었다. 그리곤 속이는 전화를 끊어버렸다. 나는 그 일을 다 약이한테 털어놓았다. 약이는 이제 속이와 놀지 않기로 했다. 그리고 나는 학교에서 더 이상 속이와 놀지 않았다.

(며칠 뒤)

약이에게서 연락이 왔다.

"속이는 다른 친구들에게도 약속을 깨었다는데"

나는 약이에게 말했다.

"우리만 약속을 깨었던게 아니네"

우리 속이에게 말하러 가자. 우리는 속이를 불러 만났다. "속이야 우리 말을 잘 들어줘. 우리가 약속을 했는데 너가 귀찮아서 너가 약속을 깨면 안되고 다른 친구들도 힘들어지고 너도 힘들어 질거야 그러니까 약속을 했으면 약속을 깨지 않았으면 좋을 것 같아." 우리는 속이에게 말을 하고 나왔다.

(다음날 아침)

속이가 나에게 문자가 왔다. "내가 그전에 약속을 내 마음대로 깨서 미안해 다음부터는 일이 생기면 그전에 말을 할게" 우리는 속이가 말한대로 용서을 했다. 그 뒤로부터 속이는 다른 친구들과 약속을 잘 지키게 되었다.

허들링을 아시나요?

(시)

김연서

동그랗게 동그랗게 모여요
따뜻하게 따뜻하게 모여요

너는 나를 느끼고
나는 너를 느끼고
그게 바로 허들링 허들링이죠

차가운 얼음을 깨고
나온 펭귄들이 모여요
서로의 체온을 지켜주며
하나가 되어 모여요

행복하게 소중하게 너와 내가 모여요
환하게 웃으며 모여요
그게 바로 허들링 허들링 이죠

허들링(Hudding)이란, 알을 품은 황제펭귄들이 한데 모여 서로의 체온으로
혹한의 겨울 추위를 견디는 방법으로 무리 전체가 돌면서 바깥쪽과 안쪽에 있는
펭귄들이 계속해서 서로의 위치를 바꾸는 것이다.
바깥쪽에 있는 펭귄들의 체온이 떨어질 때 서로의 위치를 바꾸므로
한겨울의 추위를 함께 극복한다

지혜

상황이나 사물의 이치를
현명하게 처리하는
정신적인 능력

지혜로운 마법사
(창작 이야기)

최시우

어느날 지혜로운 마법사들끼리 모였습니다.
마법사들은 앞을 볼수없어서
오직 마법만을 의지했습니다.

한 마법사가 코끼리 코에 손이 닿아 "어 뱀이다"
라고 말했습니다.

다른 마법사들은 코끼리에 다른부위를 만져
"아니야! 이건 밧줄이야!"
"아니거든? 이건 기둥이야!"
계속 의견이 갈라져 한 마법사는 코끼리를
마법으로 축소시켜 만져봤습니다

"너네가 말한걸 총합해보면 이건 그냥 코끼리야!"
라고 말했습니다.

내가 생각한거가 맞다고 우기지 말고 다른 친구들과
생각하여 더 좋은 결과를 얻읍시다.

알렉스의 모험
(상상 이야기)

옛날 옛적, 평화롭고 아름다운 마을이 있었다. 그 마을에는 알렉스라는 젊은 소년이 살고 있었다. 알렉스는 항상 모험을 꿈꾸며 자랐다. 정찬솔&위하 은 곳을 탐험하고, 숨겨진 보물을 찾고 싶어했다. 하지만 그의 할머니, 마을 에서 가장 지혜로운 사람으로 알려진 할머니는 늘 그에게 말했다.

"알렉스야, 모험을 떠나는 것도 좋지만, 지혜를 잊지 말거라. 지혜는 너를 위험에서 구해줄 것이다."

어느 날, 알렉스는 오래된 지도를 발견했다. 지도에는 마법의 보물이 숨겨져 있는 장소가 그려져 있었다. 그는 신나서 바로 모험을 떠나기로 결심했다. 떠나기 전, 할머니는 그에게 작은 펜던트를 건네주며 말했다.

"이 펜던트를 항상 지니고 다녀라. 그리고 어려운 상황에 처할 때마다 내 말을 기억해라."

알렉스는 할머니의 말을 가슴에 새기고 모험을 떠났다. 그의 여정은 험난 했다. 깊은 숲을 지나고, 험준한 산을 넘고, 사막을 건너야 했다. 그는 여러 번 위험에 처했지만, 그때마다 할머니의 지혜로운 조언을 떠올리며 위기를 넘겼다.

어느 날, 알렉스는 깊은 동굴을 발견했다. 지도에 표시된 보물이 있는 였다. 동굴 안으로 들어가자마자 그는 거대한 용과 마주쳤다. 용은 불을 으며 알렉스를 위협했다. 알렉스는 두려웠지만, 할머니의 말을 떠올렸다

"지혜를 잊지 말거라."

알렉스는 용에게 무작정 싸우기보다는 대화를 시도하기로 했다. 그는 용게 정중하게 인사하고, 자신이 왜 이곳에 왔는지 설명했다. 용은 그의 와 지혜를 인정하며, 보물을 찾을 수 있게 도와주겠다고 했다. 용의 도로 알렉스는 마법의 보물을 손에 넣을 수 있었다.

알렉스는 마을로 돌아와 모든 사람들에게 자신의 모험 이야기를 들려주다. 그는 보물보다 더 소중한 것을 얻었다고 말했다. 그것은 바로 지혜었할머니의 가르침 덕분에 알렉스는 무사히 모험을 마칠 수 있었고, 마을람들은 그의 이야기를 통해 지혜의 중요성을 다시금 깨닫게 되었다.

예절

다른 사람을 존중하고
배려하는 마음에서 나오는
공손한 마음가짐

예절을 지키자
(주장하는 글)

정은지&뤼튼

예절은 우리가 다른 사람들과 함께 살아갈 때 꼭 필요한 덕목입니다. 예절은 서로를 존중하고 배려하는 마음에서 시작되며, 우리 사회를 더욱 따뜻하고 화목하게 만듭니다. 특히 초등학생 시기에는 예절을 배우고 실천하는 것이 중요합니다. 이번 글에서는 예절의 중요성과 실천 방법을 알아보겠습니다.

첫째, 예절은 다른 사람을 존중하는 마음에서 시작됩니다. 학교에서는 친구나 선생님에게 인사를 잘하고, 공공장소에서는 줄을 서서 기다리는 것이 기본적인 예절입니다. 이러한 작은 행동들이 모여 우리 사회를 더 아름답게 만듭니다.

둘째, 예절은 배려하는 행동으로 나타납니다. 친구가 어려움을 겪을 때 도와주거나, 가족에게 감사의 마음을 표현하는 것도 예절의 한 부분입니다. 배려는 상대방의 입장을 이해하고, 그들에게 도움이 되기 위해 노력하는 마음입니다.

셋째, 예절은 서로의 다름을 인정하는 것에서 시작됩니다. 사람마다 생각과 행동이 다를 수 있지만, 그 차이를 존중하고 받아들이는 것이 중요합니다. 서로 다른 의견을 가진 친구와도 잘 지내는 것이 예절입니다.

넷째, 예절은 일상 속 작은 행동에서도 실천할 수 있습니다. 예를 들어, 길을 가다가 떡볶이 가게를 지나칠 때 사장님께 "안녕하세요"라고 인사를 드리는 것도 예절입니다. 어느 날 저는 떡볶이 가게 앞을 지나가며 사장님께 밝게 인사를 드렸습니다. 그러자 사장님께서는 환하게 웃으시며 저에게 떡볶이를 주셨습니다. 이처럼 작은 인사 한마디가 따뜻한 마음을 전하고, 좋은 일이 생길 수 있습니다.

마지막으로, 예절은 우리 모두가 함께 만들어가는 것입니다. 나부터 실천하는 예절이 다른 사람에게도 전해지고, 그 사람도 다시 다른 사람에게 예절을 실천하게 됩니다. 이렇게 예절은 우리 사회를 더욱 아름답고 행복하게 만듭니다. 초등학생인 여러분도 일상에서 예절을 실천하며 더 좋은 세상을 만들어 나가길 바랍니다.

래퍼와 예절은 관련이 있을까?
(에세이)

문태양, 뤼튼

여러분은 꿈이 있나요? 저에 꿈은 래퍼 입니다. 여러분은 꿈과 관련하여 존경하는 인물이 계신가요? 저는 최근에 '해피'라는 노래를 듣고 차노을을 좋아하기 되었습니다.

차노을은 자기소개와 꿈과 관련된 노래를 합니다. 그는 초등학교 2학년이라는 어린 나이에 유튜브 조회수 2백만회를 찍은 래퍼입니다. 또한 차노을은 유튜브에 '해피'라는 노래를 올려 유튜버로도 성공을 했습니다. 제가 하고 싶었던 꿈 2가지를 이룬 사람입니다.

차노을은 실력 뿐만 아니라 예의를 잘지킵니자. 래퍼에게 예절이 왜 필요할까요? 사람들은 그가 예의가 바르다고 좋아 합니다. 그런대 만약에 래퍼가 예의를 지키지 않는다면 평판이 좋지 않아 자꾸 욕을 먹어 정신적 스트레스가 올 수도 있습니다.

또 예절이 급격하게 안 좋아지면 그것은 폭력으로 이어 질 수 있습니다. 그런데 래퍼에게 중요한 덕목은 1개 뿐만이 아닌 2개가 더 있습니다. 그것은 존중과 배려 또한 중요한 덕목 중 하나 입니다. 이유는 팬들은 래퍼의 존중하는 태도와 배려를 본받아 크기도 하고 무엇보다 긍정적인 문화를 조성하고 래퍼 와 팬사이에 강한 유대감을 줄 수 있기 때문입니다.

저도 차노을처럼 랩 실력도 좋고 예의 바른 래퍼 그리고 유튜버가 되기 위해 노력하겠습니다. 여러분도 꿈을 위해 열심히 노력해보겠으면 좋겠습니다.

평화

분쟁과 다툼이 없이
서로 이해하고, 우호적이며,
조화로운 상태

택시운전사
(영화 감상문)

최시우

나는 5.18과 관련된 '택시 운전사'라는 영화를 보았다. 택시 기사와 외국 기자가 광주 민주화 운동을 하는 곳으로 함께 가게 되어 일어나는 이야기를 담은 영화이다. 외국 기자는 위험을 무릅쓰고 그 모습을 카메라에 담아 세상에 알리는 과정을 보여주었다.

나는 '택시 운전사' 영화를 보고 5.18때 '내 몸이라도 바쳐 민주주의를 얻어내자!' 이런 정신을 가지고, 실천하신 분들을 영원히 기억하기로 나와 다짐했다.

그분들 덕분에 우리나라는 민주공화국이 될수 있었고 평화를 되찾을수도 있었다.

택시운전사의 대한 나의 생각
(영화 감상문)

문태양

나는 영화 '택시 운전사'를 보고 5.18사건을 잊으면 안될 것 같은 생각이 들었다. 이유는 수많은 학생들과 군인들이 돌아가셨기 때문이다. 그리고 그 등장 인물 한명 한명에게 정이 들었기 때문이다. 참고로 웃긴 장면이 많고 잔인한 장면이 적기 때문에 어린이가봐도 괜찮을 것 같다.

등장인물 중에서 나는 독일 기자가 정이 들었다. 이유는 한국이 심각한 상황을 알리기 목숨을 걸고 한국을 도와주었기 때문이다. 그리고 시간이 되면 이 영화를 보는 것을 추천한다.

그리고 5.18운동에서 희생해주신 사람들을 생각하며 저는 이런 생각이 들었습니다. 희생하신 분들처럼 나 도똑 이런 희생 정신이 있어야 되겠다는 생각을 했습니다.

43

행 복

분쟁과 다툼이 없이
서로 이해하고, 우호적이며,
조화로운 상태

HAPPY(행복)

김예준

난 가장 행복할때는 숙제를 다하고 게임을 하는 것이다.

행복하지 않다고 느낄때는 ...고민해야 된다.
게임을 할때 상대방을 이기면 행복하지만
상대방에게 지면 기분이 좋진않다.

그리고 모든걸 끝내고 쉬면 행복하다.
왜냐면 오늘 하루 일을 다 마치고 나서 쉬면 뭔가
포상을 받는 기분이 들어 행복 하기 때문이다.
아!그리고 사람들 곁엔 행복이 있다고 생각한다.
그러나 모두가 행복한건 아니지만,일이나 하루를

끝내고 가족들과 함께하는 사람이나 쉬는 사람을
보면 행복해 보인다.
그래서 사람들 곁엔 행복이 있다 생각한다.

44

협동

공동의 목표를 위해
마음과 행동을 하나로
모으는 것

언제나 친구
(창작동화)

정연우

한 여름날 장마가 왔다. 그 폭풍에 개미와 메뚜기는 강물에 떠밀려 도심으로 와버렸다. 낯선 환경 속에서 두 친구는 살아남기 위해 협력하기로 했다.

첫째 날, 개미는 냄새를 따라 음식을 찾았고, 메뚜기는 높은 곳에서 주변을 살폈다. 결국, 그들은 도심 한 구석에서 빵 조각을 발견하여 나누어 먹었다. 밤이 되자 안전한 장소를 찾아야 했다. 메뚜기는 높은 곳에서 안전한 장소를 찾았고, 개미는 땅속으로 숨어들었다.

다음 날, 두 친구는 집으로 돌아갈 길을 찾기 시작했다. 개미는 강의 냄새를 따라갔고, 메뚜기는 높은 곳에서 방향을 살폈다. 도중에 큰 새에게 공격을 받았다. 메뚜기는 새 위로 올라가 눈을 가리고 개미가 새를 물어, 협력하여 무사히 피할 수 있었다. 그들은 공원 청소부의 도움을 받아 강 근처로 이동할 수 있었다. 두 친구는 다시 협력하여 낙엽을 모았고 집으로 돌아가는 길을 찾았다.

하지만 바람이 생각 보다 강하여 낙엽으로 만든 배가 전복 되었다. 개미와 메뚜기는 헤어지지 않기 위해 발버둥 쳤고 손을 잡고 개미와 메뚜기는 기절하였다.

개미는 먼저 기절에서 깼다 주변을 보니 집이 보였다.
하지만 길에는 큰 강이 있었다. 그리고 메뚜기가 깨어났다. 메뚜기는 점프가 높아 강을 넘을 수 있었지만 개미는 할 수 없었다.

둘은 다시 한번 힘을 합치기로 했다. 긴 실을 찾아 개미 몸에 엮어 메뚜기가 넘어가 끌어 당기는 전략이었다.

그리고 둘은 계획을 실행에 옮겼다. 다행이도 계획은 성공했고 둘은 다시 한번 협동에 힘을 알게 되었다.

46

자라나는 우리들의 가치덕목이야기

발　행 | 2024년 07월 10일
저　자 | 박민정 외 17명
펴낸이 | 한건희
펴낸곳 | 주식회사 부크크
출판사등록 | 2014.07.15.(제2014-16호)
주　소 | 서울특별시 금천구 가산디지털1로 119 SK트윈타워 A동 305호
전　화 | 1670-8316
이메일 | info@bookk.co.kr

ISBN | 979-11-410-9280-1

www.bookk.co.kr